D1208353

Leopold Kupelwieser

FRANZ SCHUBERT

IMPROMPTUS
MOMENTS MUSICAUX

NACH EIGENSCHRIFTEN UND
DEN ERSTAUSGABEN HERAUSGEGEBEN
SOWIE MIT FINGERSATZ UND ANHANG
VERSEHEN VON
WALTER GIESEKING

G. HENLE VERLAG MÜNCHEN

INHALT

VIER IMPROMPTUS

Opus 90 · D 899

SECHS MOMENTS MUSICAUX

Opus 94 · D 780

VIER IMPROMPTUS

Opus posth. 142 · D 935

VORWORT

Die vorliegende, erneut überprüfte und verbesserte Ausgabe enthält in ihrem Text die Fassung der Impromptus und Moments musicaux, wie sie Schubert nach den Handschriften und Erstausgaben vorschwebte, ohne irgendwelche Veränderungen und Zusätze. Der Herausgeber hat in den Notentext nur Fingersatzbezeichnungen eingefügt. Im übrigen sind seine Anregungen und Vorschläge (z. B. für die Ausführung von Verzierungen u. a. m.) in einem Anhang zu dieser Ausgabe enthalten. Dank der Bereitwilligkeit ihres Eigentümers, des Herrn Dr. Paul Oppenheim, Princeton, New Jersey, konnten in dieser Ausgabe den Vier Impromptus op. 90 die Eigenschriften zugrunde gelegt werden. Die für manche Leser vielleicht etwas ungewohnte Takt- und Tonartbezeichnung von op. 90 Nr. 3 erklärt sich aus einer eigenmächtigen Änderung des ersten Verlegers, der das Stück nach G-dur übertragen und nur vier Viertel auf einen Takt nehmen ließ, in welcher Schubertfremden Form es bis auf den heutigen Tag zumeist gedruckt wurde.

Die Eigenschrift der Vier Impromptus op. posth. 142, die zu Lebzeiten des Herausgebers dieser Ausgabe unzugänglich war, konnte erst 1961 von Paul Badura-Skoda, Wien, eingesehen werden. Der von ihm durchgeführte Textvergleich (siehe Neue Zeitschrift für Musik, Dezember 1961; die Taktzahlen dort entsprechen der voll ausgedruckten Fassung vor Wiedereinführung der originalen Wiederholungszeichen) hat einige Änderungen ergeben, die in der vorliegenden Neuauflage berücksichtigt worden sind. In Nr. 1 sind die Takte 84 bis 108a in Wiederholungszeichen gesetzt und ist der prima-volta-Takt (Takt 108a) mit dem Wiederholungszeichen eingefügt worden, den der Originalverleger Diabelli zusammen mit der Wiederholungsangabe weggelassen hatte. Ebenso ist die Wiederholung der Takte 69 bis 82a nicht ausgeschrieben worden, sondern es wurden entsprechend der Eigenschrift Wiederholungszeichen gesetzt. Das Wiederholungszeichen in Takt 84 fehlt allerdings auch in der Eigenschrift. – Die 3. Variation von Nr. 3 wirft das bei Schubert häufige Problem auf, wie die Figur  im Druck wiederzugeben und wie sie auszuführen ist. Schuberts Eigenschriften dürfen hierin für die Wiedergabe im Druck nicht als verbindlich angesehen werden, weil sie häufig inkonsequent sind. Unsere Wiedergabe im Druck, die dem genauen metrischen Wert der Noten folgt, ist aber wiederum für die Ausführung nicht verbindlich. Der Spieler wird je nach Tempo und Ausdruck zu entscheiden haben, ob die Sechzehntelnote zusammen mit der dritten Achtelnote oder nach ihr zu spielen ist (vgl. auch op. 90, Nr. 1).

PREFACE

The present revised and corrected reprint of the Impromptus and Moments musicaux gives the text as Schubert – according to the autographs and first editions – originally conceived it and without any editorial emendations or additions. The editor has only indicated the fingering in the text. Besides this, his hints and suggestions for performance (e. g. of the ornaments) are contained in an appendix to this edition. Thanks to the courtesy of Dr. Paul Oppenheim, Princeton, New Jersey, owner of the autographs, the Four Impromptus op. 90 in this edition could be based on the original text. The key and time-signature of op. 90 No. 3 may seem a little unusual to some readers, but the explanation is found in the fact that the first publisher arbitrarily altered the key to G Major and the time-signature to only four quarters (crotchets) to a measure (common metre), in which un-Schubert-like form it has generally been published ever since.

The autograph of the Four Impromptus, op. posth. 142, which during the lifetime of the editor of this edition was inaccessible, could not be examined until 1961 by Paul Badura-Skoda, Vienna. His collation of the text has resulted in some changes, which have been incorporated in the present new edition (see Neue Zeitschrift für Musik, December 1961; the number of bars indicated has reference to the version in which the repeated passage has been written out before restoration of the original repeat marks). In No. 1, bars 84 to 108a are marked to be repeated and the prima volta bar (108a) with the repeat sign, which were omitted by the original publisher Diabelli, have now been restored. The repetition of bars 69 to 82a is likewise not written out but is indicated by repeat marks in conformity with the autograph. However, the repeat sign in bar 84 is missing also in the autograph. – The 3rd Variation of No. 3 raises the familiar Schubert question how the figure  is to be printed and how it is to be played. In this respect Schubert's autographs cannot be regarded as authoritative for the printed text because they are often inconsistent. On the other hand the printed text, which accords with the exact metrical value of the notes, is in turn not binding for the performance. The player must decide, according to tempo and expression, whether the sixteenth-note (semiquaver) is to be played with, or after, the third eighth-note (quaver). See also op. 90, No. 1.

PRÉFACE

La présente édition de nouveau revue et corrigée renferme les Impromptus et les Moments musicaux, sous la forme conçue par Schubert, d'après les manuscrits et les premières éditions sans y ajouter ou changer quoique ce soit. L'éditeur a seulement ajouté le doigté au texte musical. En outre, ses conseils et suggestions (par exemple pour l'exécution des fioritures etc.) sont réunis dans un appendice joint à cette édition. Grâce à l'amabilité de son propriétaire, M. le docteur Paul Oppenheim, Princeton, New Jersey, on a pu se baser dans cette édition sur les autographes des Quatre Impromptus op. 90. La façon inaccoutumée de désigner la mesure et la tonalité dans l'opus 90, No 3, pourra surprendre certains lecteurs. Elle s'explique, si l'on tient compte du changement arbitraire opéré par le premier éditeur qui transposa ce morceau en sol majeur et fit jouer 4 noires par mesure. C'est presque toujours sous cette forme étrangère à Schubert que cette œuvre a été éditée jusqu'à présent.

L'autographe des Quatre Impromptus op. posth. 142 était inaccessible du vivant de l'éditeur de cette édition. Ce n'est qu'en 1961 que Paul Badura-Skoda, Vienne, a pu l'examiner. D'après la comparaison des textes qu'il a faite (voir Neue Zeitschrift für Musik, Décembre 1961; là, les chiffres indiquant le nombre des mesures correspondent à la version où elles ont été intégralement imprimées avant que les signes originaux de reprise ne fussent rétablis), il s'ensuit quelques changements dont on a tenu compte dans la présente réédition. Dans No 1, les mesures 84–108a sont notées entre des barres de reprise et la prima-volta (mesure 108a) avec le signe de reprise ont été ajoutés, étant donné que cette mesure et l'indication de reprise avaient été omises par Diabelli, l'éditeur de la première édition. De même, la répétition des mesures 69 - 82a n'a pas été entièrement notée, mais d'après l'autographe, marquée par des signes de reprise. Il est vrai qu'à la mesure 84 le signe de reprise manque dans l'autographe. – La 3e variation du No 3 pose un problème rencontré souvent chez Schubert: comment rendre à l'impression la figure  et comment l'exécuter? A cet égard, les autographes de Schubert sont souvent inconséquents et de ce fait ne pourraient servir d'exemple pour l'impression; notre édition suit exactement la valeur métrique des notes, mais cette notation n'implique pas une exécution que le joueur doit suivre strictement. L'exécutant devra juger si, selon le mouvement et l'expression, la double croche devra être jouée en même temps ou après la 3e croche du triolet (cf. aussi op. 90, No 1).

Herbst 1974

VIER IMPROMPTUS

Komponiert 1827

Opus 90 · D 899

Allegro molto moderato

decresc.
cresc.

cresc.
cresc.

96
cresc.
f
100
fz
cresc.
103
pp
106
cresc.
f
109
cresc.
ff
112
115

decresc.
p
pp
dim.
pp
cresc.
decresc.
pp
f

decresc.
p
pp
pp

cresc.
f
decresc.
p
pp
cresc.
f
decresc.
pp
cresc.

181
184
187
190
193
199
cresc.

Practice for speed.

Allegro

2.

p *legato*

f

pp

fp
fp
decresc.
p
cresc.
f
cre - -

65
scen
do
ff
70
fz
75
80
ffz
ben marcato
86
93
p
f

101
ffz
p
ffz
108
p
f
ffz
115
ffz
122
fz
p
f
p
129
f
136

143
150
158
cresc.
164
dimin.
decresc.
169
p legato
174

179
184
189
pp
194
199
204
fp
fp
209
decresc.

214
219
p
225
cresc.
f
230
cre - - - - scen - - - - - - do
8
235
ff
fz
240
fz
fz
fz
fz
fz
245
fz
fz
fz
ffz
ffz

Coda
ff
ff
ff
acce
le
ran
do
fz
fz
fz
fz
fz
fz

Andante
3.
pp
cresc.

pp
dimin.
cresc.
tr
pp
dim.

decresc.
decresc.
tr

cresc.

fz
pp
(rit.)
tr

63
65
cresc.
67
pp
dimin.
69
cre - - - scendo
71
fp
pp
dimin.
73
cre - -

scen - - - - - - - do
ffz
p
pp
cre - - -
scen - - - - - - - do
tr
ffz
p
pp
dim.
ppp

Allegretto
4.
pp
f

decresc.
p
pp
cresc.
pp
cresc.
pp
cresc.

cresc.
decresc.

p
cresc.
p
f
cresc.
ff
p
decresc.

Trio
p
cresc.
ffz
ffz
p
f
p

135
f
decresc.
p
140
145
cresc.
150
f
cresc.
155
ffz
ffz
decresc.
p
160
pp

dim.
pp

192
198
decresc.
p
pp
204
cresc.
208
pp
213
cresc.
217
pp

221
cresc.
225
8
f
229
8
(>)
cresc.
233
8
(>)
ff
237
fz
fz
fz
decresc.
241
p
pp

246
p
251
cresc.
256
p
261
f
266
cresc.
ff
270
ff

SECHS MOMENTS MUSICAUX

Komponiert wahrscheinlich 1823–1828

HEFT 1

Opus 94 · D 780

p
cresc.
f
pp
pp
p

pp
dim.
p
pp
cresc.
fp
p
f
fz
fz
fz
decresc.
pp

87
91
pp
(cresc.)
fp
Andantino
2.
p
5
fp
p
pp
9
13
14
pp
f
p

pp
cresc.
p
p
pp
cresc.

pp
f
p
pp
p
pp

pp
f
p
pp
Allegretto moderato
3.
p

f
p
pp
ppp
dim.
dim.

HEFT 2

62
pp
67
cresc.
72
pp
77
82
cresc.
pp

87
cresc.
93
cresc.
pp
98
pp
104
110
cresc.
1.
2.
pp
mf
pp

114
p legato
staccato
119
124
129
134
pp
Ped.
139
f

145
151
decresc.
pp
157
163
pp
168
173
Coda
ppp
ritard.

Allegro vivace
5.
f
p
fz
cresc.
ff
pp

cresc.
cresc.

Allegretto
6.
cresc.

Trio
pp
ff
p
fp
f
Allegretto D.C.

VIER IMPROMPTUS

Komponiert 1827

Opus posth. 142 · D 935

cresc.
decresc.

sempre legato
overlap
pp
pp

decresc.
m.s.
pp
appassionato
con Pedale
cresc.
decresc.
(82 a)
1.
fp

*) Siehe Vorwort. *) See Preface. *) Voir Préface.

cresc.
decresc.
pp
(108a)
1.
2.
dim.

112
cresc.
115
fp
cresc.
fz
p
119
f
123
fz
p
126
cresc.
f
pp

129
132

135

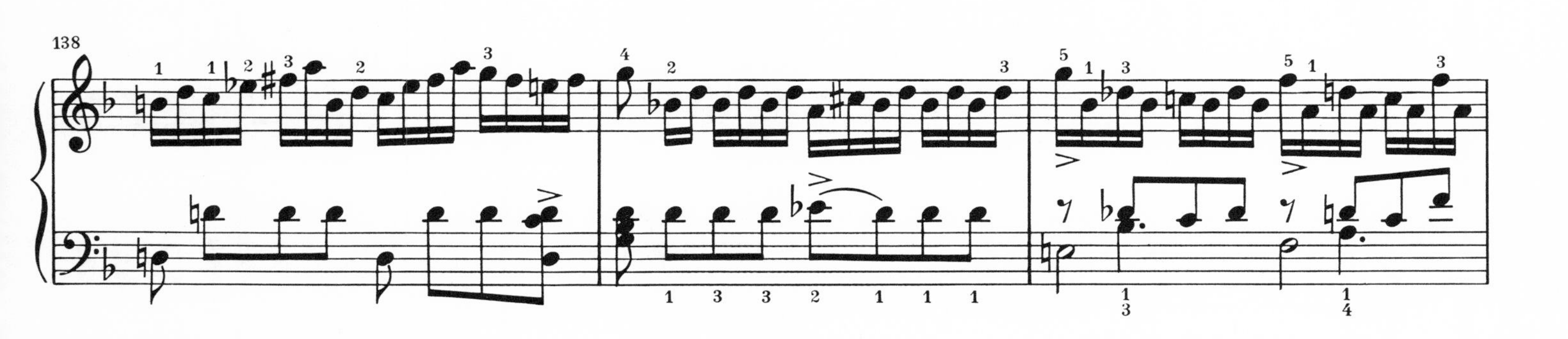
138

141
cresc.

de cre sc.
sempre legato

decresc.
pp
m. s.

cresc.
decresc.
mf

200
f
fz
fz
203
decresc.
fp
p
206
pp
209
212
cresc.

decresc.
pp
dim.
cresc.
f
cresc.
fz
p
pp

Allegretto
sempre legato
2.
pp
f
ff
ffz
p
pp

Trio
p
decresc.
pp
f
cresc.

8
ff
fz
p
decresc.
decresc.
pp

decresc.
96
sempre legato
pp
102
110
f
118
ff
ffz
p
ffz
126
p
pp
pp

ritard.
cresc.
p
Thema
Andante
3.
p
mf
decresc.
p
p
cresc.
p
pp
dim.

Var. I
legato
pp
cresc.
p
p

Var. II
pp
decresc.
dim.
p
cresc.

*) Siehe Vorwort. *) See Preface. *) Voir Préface.

f
pp
cresc.
f
p
decresc.
pp
Var. IV
p
f

decresc.
p
f
p
cresc.
f
p
decresc.
pp
dim.

Var. V
pp
f
p
f
p
f

decresc.
ritardando
Più
lento

Allegro scherzando
4.
cresc.

44
p
ritard.
a tempo
50
58
cresc.
66
74
82

legato
pp
cresc.
f
p

con delicatezza
cresc.

165
pp
173
182
cresc.
fp
189
fp
cresc.
196
f
203
p

210
217
223
230
237
244
f
ff
cresc.
fz
p
8
f
cresc.

cresc.
cresc.
decresc.

285
290
p
296
303
pp
310
8
pp
317
dim.

a tempo
cresc.
p
f
p
f
p
f
p
f
p
cresc.

369
376
p ritard.
380
a tempo
389
cresc.
399
408

fz
decresc.
pp
fp

più Presto
ff
pp
f
p
dim.
m.s.

Printed in Germany

ANHANG · APPENDIX · APPENDICE

ZU SCHUBERT: IMPROMPTUS, OPUS 90 UND 142, UND MOMENTS MUSICAUX, OPUS 94,

VON WALTER GIESEKING

VIER IMPROMPTUS, Opus 90

Nr. 1

① Der Herausgeber zieht folgenden, unkonventionellen Fingersatz vor, weil der Daumen hierbei nicht auf das *es*^{1} zu steigen braucht:

② 

③ 

④ 

⑤ 

⑥ Der Herausgeber spielt die Begleitungsfigur der linken Hand durchweg in folgender Weise:

weil nur durch dies „legatissimo“ genügende Klangfülle der Harmonie erreicht werden kann, ohne daß die klare Phrasierung der Melodie durch zuviel Pedal beeinträchtigt wird.

⑦ 

⑧ 

⑨ Wer den wiederholten Anschlag mit dem entspannten Arm nicht gewohnt ist, kann natürlich auf den repetierten Noten

FOUR IMPROMPTUS, Opus 90

No. 1

① The editor prefers the following unconventional fingering, because it avoids using the thumb on the *e*$\flat^1$:

② 

③ 

④ 

⑤ 

⑥ The editor plays the bass throughout in the following manner:

because this legatissimo is the only way to give sufficient sonority to the harmony without obscuring the clear phrasing of the melody through an undue use of the pedal.

⑦ 

⑧ 

⑨ If unaccustomed to the rapid reiteration of a note with a relaxed arm, the player can naturally change fingers on the re-

QUATRE IMPROMPTUS, Opus 90

No. 1

① L'éditeur préfère le doigté non-conventionnel suivant qui a l'avantage d'éviter au pouce le passage sur le *mi*$\flat^1$:

② 

③ 

④ 

⑤ 

⑥ L'éditeur joue toujours le motif d'accompagnement de la main gauche de la façon suivante:

C'est seulement par ce »légatissimo« qu'on peut obtenir la pleine sonorité de l'harmonie sans que la clarté de la phrase musicale soit troublée par trop de pédale.

⑦ 

⑧ 

⑨ L'exécutant qui n'a pas l'habitude de jouer les notes répétées en laissant le bras souple, pourra naturellement changer de

Fingerwechsel gebrauchen: 321 321 usw. Den Anschlag mit dem gleichen Finger, wobei nur eine ganz geringe Auf- und Ab-Bewegung der Hand und des Unterarms notwendig ist, zieht der Herausgeber jedoch durchaus vor.

(10) 

(11) Diesen Abschnitt spielt der Herausgeber fast ohne Pedal, damit das Baß-„pizzicato“ gut zur Geltung kommt. Natürlich muß die Melodie gut gesungen und möglichst legato gespielt werden.

(12) Man beachte: legato und crescendo, während die beiden vorhergehenden Takte <> und *ppp* bezeichnet sind.

Nr. 2

(1) Ausführung: 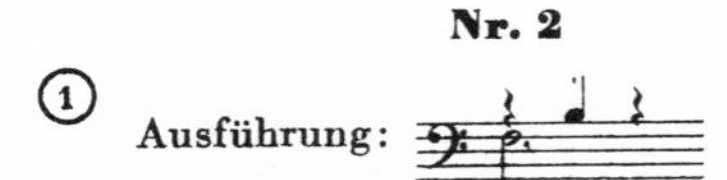

damit die rechte Hand ungehindert das *b* wieder anschlagen kann. (Ebenso bei sämtlichen Wiederholungen dieses Taktes.)

Nr. 3

(1) 

oder:

(2) 

oder:

(3) 

(4) An dieser Stelle wurde, abweichend vom Autograph, aber in Übereinstimmung mit den meisten Ausgaben, das Auflösungszeichen schon im fünften Viertel in Klammern angebracht.

(5) 

peated note: 321 321 etc. The editor, however, much prefers the use of the same finger as this only requires a slight up and down movement of the hand and the forearm.

(10) 

(11) The editor plays this passage practically without pedal so that the "pizzicato" effect of the bass comes out clearly. Naturally the melody must be played with a singing tone and as legato as possible.

(12) Note here: legato and crescendo, while the two preceding bars are <> and *ppp*

No. 2

(1) Execution: 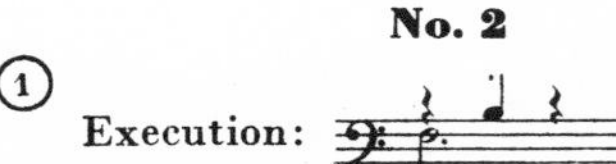

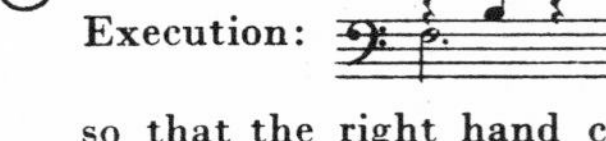

so that the right hand can repeat the *bb* easily. (The same in all repetitions of this bar.)

No. 3

(1) 

or:

(2) 

or:

(3) 

(4) Here, following the practice of most editions, the natural is placed in parenthesis within the fifth quarter note (crotchet). In the autograph it is not introduced until the seventh quarter note.

(5) 

doigt sur la même touche: 321 321 etc. Cependant, l'éditeur préfère de beaucoup le toucher des notes répétées avec le même doigt, ce qui ne demande qu'un léger mouvement de haut en bas de la main et de l'avant-bras.

(10) 

(11) L'éditeur joue cette partie presque sans pédale, afin que le pizzicato de la basse soit mis en valeur. La mélodie doit naturellement être bien chantée et jouée aussi »legato« que possible.

(12) On observera: Legato et crescendo, tandis que les deux mesures précédentes ont l'indication <> et *ppp*

No. 2

(1) Exécution: 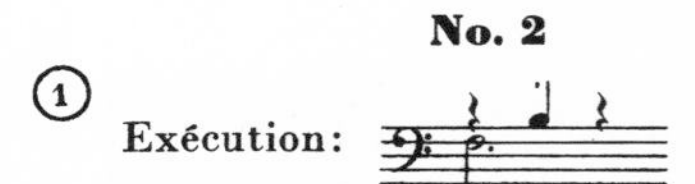

afin que la main droite puisse, sans difficulté, répéter le *sib* (de même qu'à chaque répétition de cette mesure).

No. 3

(1)

ou bien:

(2) 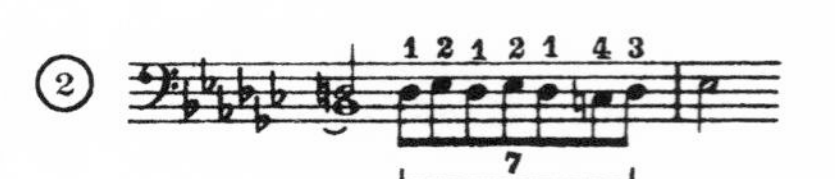

ou bien:

(3) 

(4) A cet endroit le bécarre a été placé déjà au 5e temps et entre paranthèses; ceci est conforme à la plupart des éditions, mais ne correspond pas à l'autographe.

(5) 

⑥ Schubert setzt hier an das Taktende oben und unten je eine die letzten Noten umspannende große Fermate. Diese ungewohnte Schreibweise wurde durch eine dem modernen Spieler verständlichere Lesart ersetzt.

⑥ Here Schubert places one large comprehensive Fermata above and another below the last notes of the bar. This unusual notation has been replaced by one more familiar to the modern player.

⑥ Ici, à la fin de la mesure, Schubert place en haut et en bas un grand point d'orgue entourant les dernières notes. Cette facon inusitée d'écrire a été remplacée par un signe plus compréhensible à l'exécutant moderne.

⑦ 

⑦ 

⑦ 

⑧ Ausführung wie Anmerkung ⑤

⑧ Execution as in note ⑤

⑧ Exécution semblable à l'annotation ⑤

Nr. 4

① Die meisten Ausgaben enthalten einen Fingersatz, der grundsätzlich von dem abweicht, den der Herausgeber benutzt. Es werden daher zwei Fingersätze angegeben, unten der konventionelle, oben der des Herausgebers. Dieser ist der Ansicht, daß der gleichmäßig perlende Vortrag der Sechzehntelfiguren leichter ist, wenn der Daumen praktisch nicht gebraucht wird.

② In der Eigenschrift steht nur für die rechte Hand die Bezeichnung *staccato*. Diese hat aber hier und an den entsprechenden folgenden Stellen zweifellos auch für die linke Hand zu gelten.

No. 4

① Most editions use an entirely different fingering from that of the editor. Two fingerings are therefore indicated here. The lower is the conventional one; the upper is that preferred by the editor who believes it is easier to play the sixteenth note figures (semiquavers) clearly and delicately when the thumb is not used.

② In the autograph, only the right hand is marked *staccato*. But here and in similar passages it undoubtedly refers to both hands.

No. 4

① La plupart des éditions ont un doigté qui diffère de celui employé par l'éditeur. Pour cette raison, il est indiqué deux doigtés: en bas, le conventionnel, en haut, celui de l'éditeur. Celui-ci est d'avis que l'exécution perlée et régulière des doubles croches est plus facile, si l'on évite d'employer le pouce.

② Dans l'autographe, l'indication de *staccato* n'est donnée que pour la main droite. Cette indication est, sans aucun doute, également valable pour la main gauche au même endroit et aux endroits correspondants qui suivent.

MOMENTS MUSICAUX, Opus 94

Nr. 1

① Den Vorschlag nimmt der Herausgeber immer voraus, sodaß folgender Rhythmus entsteht:

Die Triole wird sonst ungleichmäßig, wodurch der Rhythmus ungenau würde.

② Die Ausführung ist legatissimo:

Ebenso 2 Takte später und bei der Reprise weiter unten. Die linke Hand spielt natürlich entsprechend. Auch wird Pedal gebraucht.

③ Fingersatz des Herausgebers:

MOMENTS MUSICAUX, Opus 94

No. 1

① The editor always accents the principal note so that the rhythm is as follows:

Otherwise the triplet is uneven, which spoils the rhythm.

② To be played very legato:

The same is true of the passage two bars further on and at the Repetition. Naturally, the left hand is played in a similar way. The pedal is also used.

③ Editor's fingering:

MOMENTS MUSICAUX, Opus 94

No. 1

① L'éditeur joue toujours l'appogiature avant la note principale. Cela donne le rythme suivant:

Autrement le triolet serait irrégulier; par ce fait, le rythme ne serait plus exact.

② Se joue légatissimo:

De même aux deux mesures suivantes ainsi qu'à la reprise plus bas. La main gauche, naturellement, joue d'une facon analogue. On se servira également de la pédale.

③ Doigté de l'éditeur:

Nr. 2

(1) Die Vorschläge spielt der Herausgeber stets etwa als $^{1}/_{32}$-Note, die korrekterweise wohl immer auf den Taktteil, nicht vorher, angeschlagen wird, also:

(2)

(3)

(4) Viele Ausgaben haben hier:

(5)

(6)

(7)

(8) Fingersatz des Herausgebers:

No. 2

(1) The editor always plays the grace note approximately as a thirty-second note (demisemiquaver). Here it is more correct to let the accent fall on the grace note, rather than on the principal note, thus:

(2)

(3)

(4) Here many editions have:

(5)

(6)

(7)

(8) Editor's fingering:

No. 2

(1) L'éditeur donne aux petites notes d'agrément environ la valeur d'une triple croche qui, jouée correctement, doit en général tomber sur le temps et non avant, donc:

(2)

(3)

(4) Ici, on rencontre dans plusieurs éditions:

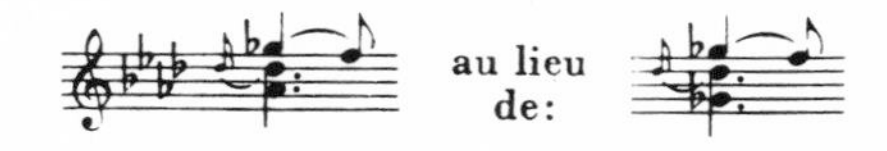

(5)

(6)

(7)

(8) Doigté de l'éditeur:

Nr. 3

(1) Die linke Hand spielt selbstverständlich nicht nur in den ersten beiden Takten, sondern durchweg staccato.
In diesem Stück würde es zu weit führen, von jedem der vielen Vorschläge die genaue Ausführung wiederzugeben. Der Herausgeber möchte daher nur bemerken, daß er bei den Rhythmen:

den Vorschlag vorausnimmt, während er bei den Rhythmen:

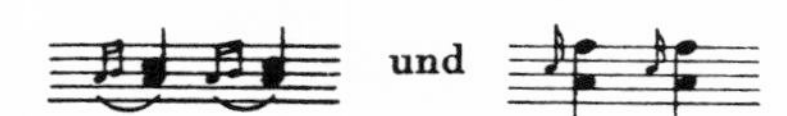

No. 3

(1) The left hand is naturally staccato, not only in the first two bars, but all the way through.
It would lead too far in this piece to illustrate in full the execution of the many grace notes. The editor would merely indicate that in the rhythms:

he accents the principal note, and in the rhythms:

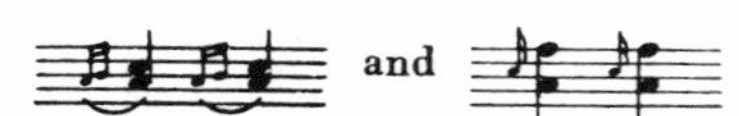

No. 3

(1) La main gauche joue staccato, non seulement aux deux premières mesures, mais continuellement.
Cela nous conduirait trop loin d'indiquer l'exécution exacte des nombreuses appogiatures contenues dans ce morceau. L'éditeur se contente de faire remarquer qu'il joue dans les rythmes suivants:

la petite note avant le temps, tandis que dans les rythmes:

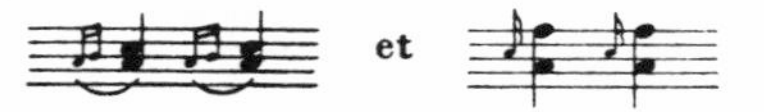

die Verzierung auf den Takt spielt, also:

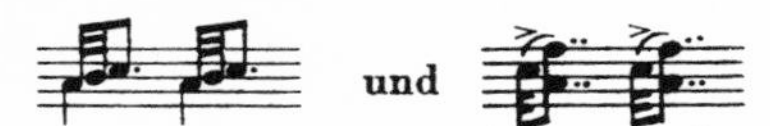

Also in Takt 3, 5, 7 Vorausnahme des Vorschlags (auftaktmäßig), in Takt 4 und 6 auf den Takt.

② Da die linke Hand das f^1 in der Begleitung spielt, ist es eine zulässige Erleichterung, in der rechten Hand wie folgt zu spielen:

③

und ebenso weiter bis zum Schluß.

Nr. 4

① Der Herausgeber hält unbedingt

(f^2 statt *fes*[2]) für richtig. *Fes*[2] dürfte wohl ein Stichfehler der Erstausgabe sein. Vgl. die entsprechende Stelle 8 Takte später.

Nr. 5

① Selbstverständlich ist hier in beiden Händen durchweg staccato zu spielen, wie in Takt 1 angegeben.

Nr. 6

① Der Herausgeber findet es melodiöser, diese Vorschläge vorauszunehmen; doch ist natürlich auch folgende Ausführung möglich:

und ebenso 5 Takte später:

② Die Lesart:

dürfte wohl ein Stichfehler der Erstausgabe sein.

③ Diesen Vorschlag spielt der Herausgeber auf dem Taktteil:

the accent falls on the grace note, thus:

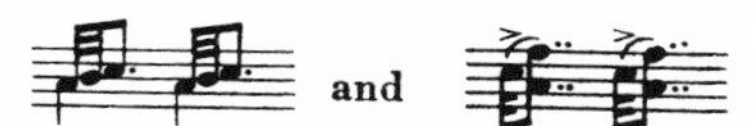

Therefore, in bars 3, 5, 7: accent the principal note. In bars 4 and 6: play the grace note on the beat.

② Since the left hand plays the f^1 in the accompaniment, it is permissble to play the right hand thus:

③

and so on to the end.

No. 4

① The editor considers

(f^2 instead of $f\flat^2$) unquestionably correct. $F\flat^2$ may possibly be a misprint in the first edition. See corresponding note 8 bars further on.

No. 5

① Naturally both hands must be played staccato all the way through, as indicated in Bar 1.

No. 6

① Here the editor finds it more melodious to accent the principal note; but

and 5 bars later:

is also naturally permissible.

② The version:

may possibly be a misprint in the first edition.

③ Here the editor lets the accent fall on the grace-note:

il joue la fioriture sur le temps, donc:

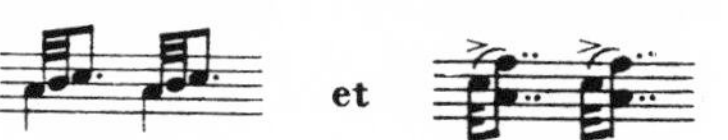

Donc, dans les mesures 3, 5, 7, on jouera la petite note avant la mesure, dans les mesures 4 et 6 sur le premier temps de la mesure.

② Puisque la main gauche joue le *fa*[1] dans l'accompagnement, l'exécution suivante facilitera le jeu de la main droite, donc:

③

et ainsi de suite jusqu'à la fin.

No. 4

① L'éditeur considère

(*fa*[2] au lieu de *fa*$\flat^2$) comme étant absolument exact. *Fa*$\flat^2$ est probablement dû à une faute de gravure dans la première édition. Comparez la notation correspondante 8 mesures plus loin.

No. 5

① On jouera ici des deux mains continuellement staccato, comme c'est indiqué à la première mesure.

No. 6

① L'éditeur trouve plus mélodieux l'exécution de la petite note d'agrément avant le temps; mais il est également possible de jouer:

et également 5 mesures plus loin:

② La forme suivante:

est probablement dû à une faute de gravure dans la première édition.

③ L'éditeur joue cette petite note sur le temps:

(4) Um recht legato zu spielen, ist es empfehlenswert, auch in den Mittelstimmen eines Akkordes Fingertausch auf der Taste vorzunehmen,

also: 

(4) In order to achieve a perfect legato, it is advisable to change fingers also on the middle notes of a chord,

thus: 

(4) Pour obtenir un jeu bien légato, il est recommandé de changer de doigt sur la touche, même sur la note du milieu d'un accord,

donc: 

VIER IMPROMPTUS, Opus 142

FOUR IMPROMPTUS, Opus 142

QUATRE IMPROMPTUS, Opus 142

Nr. 1 / No. 1 / No. 1

(5) Daß die 16tel Figur der rechten Hand hier in die tiefere Oktave springt, ist bestimmt darauf zurückzuführen, daß die Klaviatur zu Schuberts Zeiten bei f^4 aufhörte. Trotzdem möchte der Herausgeber es nicht unbedingt empfehlen, entsprechend der Parallelstelle in F-dur (Seite 65, Takt 189) in der höheren Oktave weiterzuspielen.

(5) The fact that the sixteenth note figure (semiquavers) in the right hand jumps here to the lower octave is undoubtedly due to the fact that in Schubert's time the keyboard only had a compass to f^4. The editor does not wish to recommend, however, that the player continue in the higher octave, as in the parallel passage in F Major (Page 65, bar 189).

(5) Le motif en doubles croches joué par la main droite et descendant à cet endroit dans l'octave inférieure peut s'expliquer par le fait qu'à l'époque de Schubert le clavier ne dépassait pas comme étendue le fa^4. Malgré cela, l'éditeur ne conseille pas de le jouer dans l'octave supérieure, comme le passage similaire en Fa majeur (page 65, mesure 189).

Nr. 2

Der Fingersatz:

der allerdings ein verfrühtes Aufheben des f^2 bedingt, ist bedeutend leichter und einer unschönen Ausführung des Doppelschlags vorzuziehen.

No. 2

The fingering:

which, however, necessitates a premature release of f^2 is much easier and is furthermore preferable to an awkward execution of the turn.

No. 2

Le doigté:

qui, cependant, force à lâcher le fa^2 prématurément, est beaucoup plus facile et préférable à une exécution moins agréable du gruppetto.

Nr. 3

(2) Derselbe Rhythmus wie (1)

No. 3

(1)

(2) The same rhythm as (1)

No. 3

(2) Le même rythme, voir (1)

③ Etwa: 

④  oder:

⑤ Der Herausgeber möchte noch einen Fingersatz erwähnen, der ungewöhnlich, aber praktisch ist:

⑥ 

⑦ 

|: ev. 2 Noten mehr :|

oder:

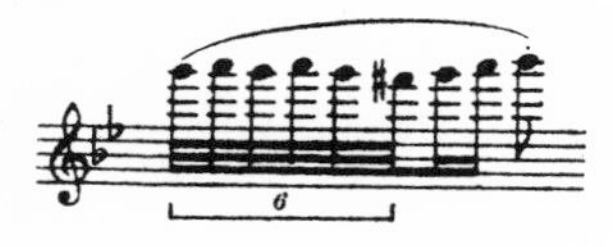

⑧ Die beiden Pralltriller in diesem Takt klingen wohl vorausgenommen am besten.

⑨ Dieser Vorschlag wird vorausgenommen, etwa so:

⑩ 

Dies wäre die notengetreue Ausführung des Trillers; doch darf dieser in einer so graziösen Arabeske mit einiger Freiheit ausgeführt werden.

Nr. 4

① Die Vorschläge werden kurz gespielt, etwa als 32tel, am besten auf den Takt, nicht voraus. Im 3. Takt wäre zu erwägen, ob nicht ein langer Vorschlag gemeint ist, dessen Ausführung der späteren Notierung derselben Stelle entsprechen würde:

② Diese Triller beginnen mit der Hauptnote.

③ Approximately: 

④  or:

⑤ The editor would like to suggest another fingering that is unconventional but very practical:

⑥ 

⑦ 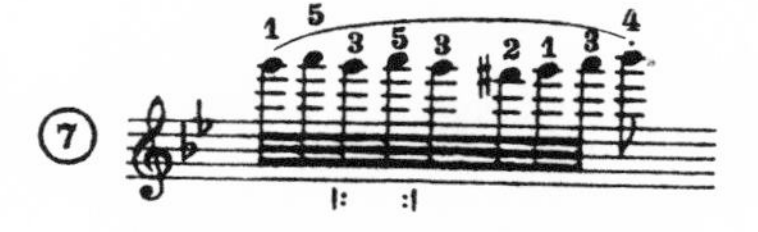

|: possibly two more notes :|

or:

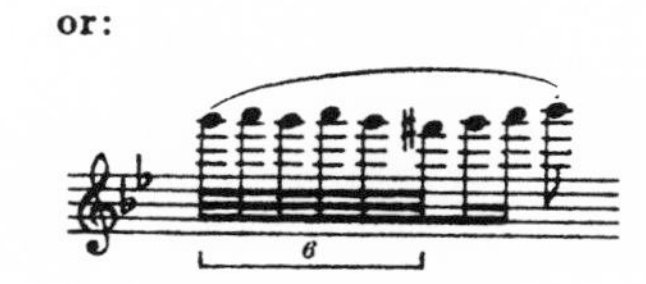

⑧ The two inverted mordents in this bar sound better when the accent falls on the principal note.

⑨ Here the accent falls on the principal note, for example:

⑩ 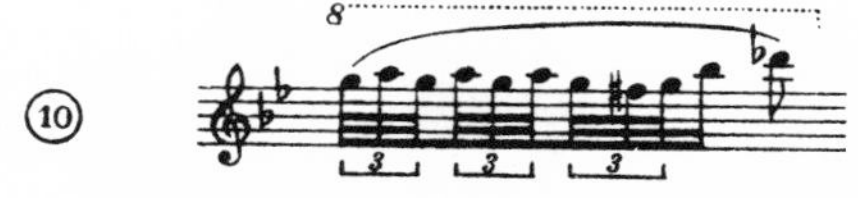

would be the actual execution of the trill, but such a graceful embellishment as this can be played with a certain freedom.

No. 4

① The grace notes are all short, approximately thirty-second notes (demisemiquavers). It is best to play them on the beat instead of accenting the principal note. In the third bar it is quite possible that a long grace note is intended. In this case it would be executed in the manner illustrated for the same passage further on:

② These trills start on the principal note.

③ Comme ceci: 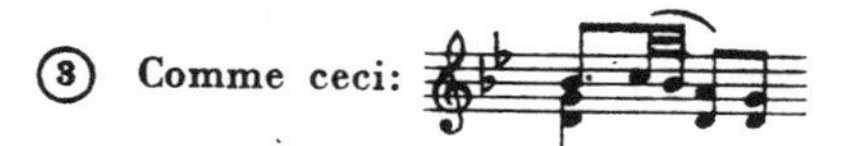

④  ou bien:

⑤ L'éditeur voudrait indiquer encore un doigté qui n'est pas très usité, mais pratique:

⑥ 

⑦ 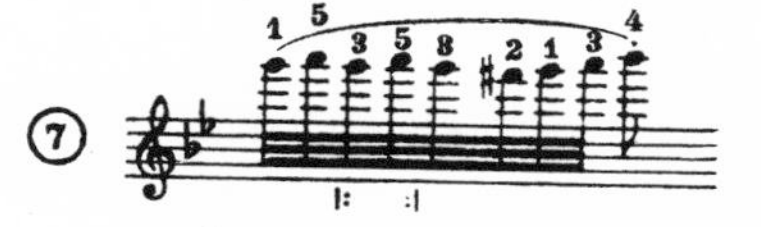

|: à volanté 2 notes en plus :|

ou bien:

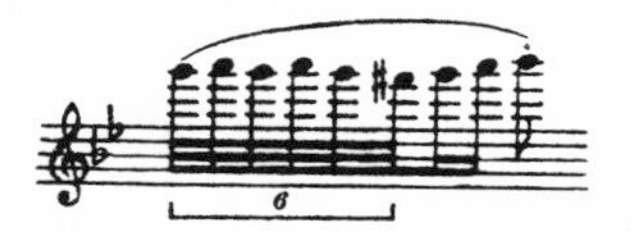

⑧ Dans cette mesure, les deux mordants inverses rendent le meilleur effet lorsqu'ils sont joués avant le temps.

⑨ Cette petite note sera exécutée avant, comme ceci:

⑩ 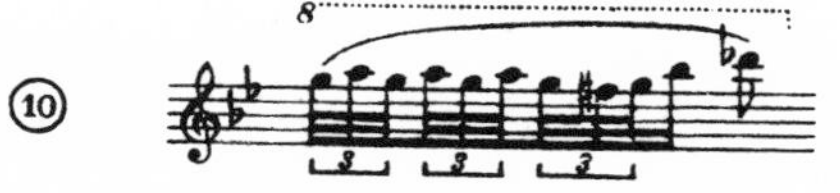

Ceci serait l'exécution stricte du trille, mais dans une arabesque aussi gracieuse, il est permis de l'exécuter avec un peu de liberté.

No. 4

① Les petites notes seront exécutées brièvement, mettons comme des triples croches, de préférence sur le temps, pas avant. A la troisième mesure, on pourrait supposer une appogiature longue, dont l'exécution correspondrait à la notation musicale postérieure du même passage:

② Ces trilles commencent par la note principale.

Printed in Germany